空城計

導讀文字：：金　朝

繪　圖：：李成立

萬里機構・萬里書店出版

編輯：莊澤義・王淑萍
書名題簽：黃　天

⑧「古書今讀」之《漫畫三國演義》系列

空城計

導讀文字
金　朝

繪　圖
李成立

出版者
萬里機構・萬里書店
香港九龍土瓜灣馬坑涌道5B-5F地下1號
電話：25647511
網址：http://www.wanlibk.com
電郵地址：wanlibk@enmpc.org.hk

發行者
萬里機構營業部
香港九龍土瓜灣馬坑涌道5B-5F地下1號
電話：25623879　　傳真：25909385

承印者
美雅印刷製本有限公司

出版日期
一九九五年七月第一次印刷
一九九九年八月第五次印刷

古書今讀叢書

出版説明

　　我們的國家，有著數千年的文明。這數千年的文明，用各種各樣的方式記載下來，我們在神州大地上遊覽，為甚麼腳步不時會不由自主地再三猶疑，不忍遽然離去？那就是因為，中華民族的數千年文明以各種面貌出現在我們的跟前，或者是肅立的一個亭子，或者是既流動又凝固了的書法，或者是一彎雖然已經老去卻仍在努力的小橋，甚至，那不過是一塊不起眼的殘片，只是，對我們來說，這已經足夠。

　　我們當然不會忽略書籍這樣的一種載體。能夠一直流傳下來的老書，就是古書了。古書，我們不會嫌多；事實上，流傳下來的古書也是不多的。這事情裏面，有著一種必然，那是大浪淘沙的必然。大浪，沒有把一切都淘空淘盡，而且讓我們曉得了，甚麼是值得好好珍惜的寶貝。

　　文明與智慧同在，文明也與寬容同在。時間的流灑，是一種滋潤，使我們的寶貝愈發有著動人的光澤，愈是親炙這樣的寶貝，我們便愈是容光煥發。「古書今讀叢書」出版的目的，便是希望藉著這套叢書的出版，使更多的讀者能親炙這樣的寶貝，得到不同程度的潤澤。由於種種原因，今人讀古書，會有這樣那樣的困難，成為一種阻隔，所以我們以導讀文字輔以漫畫的方法，構築成一彎「拱橋」，讓讀者能愜意地走過去，只要一伸手，就可以觸及那光澤。毫無疑問地，構築這樣的一道「拱橋」，是一項大工程。我們不希望曲解古書，也不要隨意或任意的所謂闡釋，但與此同時，又要於讀者有用，因為這樣，工夫就多了。工夫雖然多，我們樂於這樣去做，同時深願讀者也樂於見到這套叢書的出版，甚麼時候，也為這「拱橋」鼓鼓掌。

空城計

馬謖

王平

諸葛亮

孟獲

陸遜

司馬懿

3

《三國演義》 主要人物

名、字、號簡表

名	字	號，以及書中對他的其他稱呼
劉備	玄德	劉皇叔、劉豫州、先主
關羽	雲長	美髯公、漢壽侯
張飛	翼德	
董卓	仲穎	董太師
呂布	奉先	呂溫侯
曹操 (小名：阿瞞)	孟德	老瞞、曹老瞞
孫策	伯符	小霸王
孫權	仲謀	碧眼兒
徐庶	元直	
諸葛亮	孔明	伏龍、臥龍先生、武鄉侯
趙雲	子龍	
魯肅	子敬	
周瑜	公瑾	周郎、周都督
黃蓋	公覆	
龐統	士元	鳳雛先生
張遼	文遠	
魏延	文長	
黃忠	漢升	
馬超	孟起	
楊修	德祖	
司馬懿	仲達	
龐德	令明	
呂蒙	子明	
陸遜	伯言	
曹丕	子恒	
姜維	伯約	
劉禪	小字阿斗，公嗣	後主
廖化	元儉	
鍾會	士季	鍾司徒
鄧艾	士載	

目　次

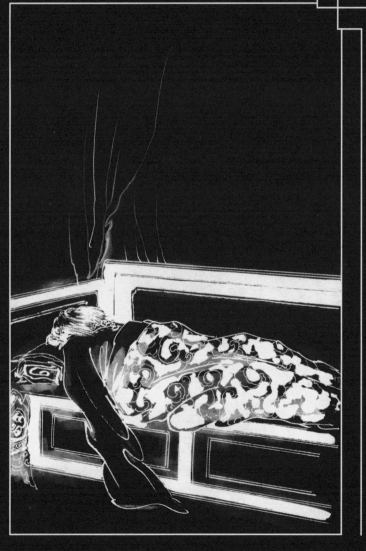

一

曹操之死

欣賞年齡層的光采

關雲長死後，曹操仍然心驚，「每夜合眼見關公」；曹操為此忐忑不安，甚至要另建一殿，以作迴避之所。

不可捉摸又實實在在

我們記得，當關雲長圍攻樊城，快要得手的時候，曹操知道關雲長的下一個目標就是身在許都的他，便曾經生起了遷都他處的念頭，只是後來為司馬懿所勸止。關雲長死後，他還是不得心安，可以說是始料不及了。

對曹操的這個情況，我們也可以說，他的氣勢也已經大不如前了。說到每個人的氣勢，似是不可捉摸，卻實實在在地影響着每一個人的判斷與行事，曹操後來患得患失，甚至，曹操的死，與此也是大有關係的。

上至天子和下至庶人

曹操當時已經六十多歲，可是征戰多年，還是得不到一個安穩的局面，說是心力交瘁①也是不過份的了。然而，曹操自己是不願意承認這一點的。《三國演義》裏，看曹操的言行，我們很難與他的年紀連繫起來，甚至會產生一個錯覺，以為曹操一直都是處於壯年。

曹操要另建宮殿，得覓棟梁之材，有人告訴他，某地有一株高達十餘丈的梨樹可用，曹操便要馬上砍伐下

來，但當地的老村民稱，該樹「已數百年矣，常有神人居其上，恐未可伐」，曹操聽了，大怒道：「吾平生游歷普天之下，四十餘年，上至天子，下至庶人，無不懼孤；是何妖神，敢違孤意！」

每一個年齡層的光采

魏王曹操自稱為孤，還是「上至天子」，「無不懼孤」，那簡直是把自己凌駕於天子之上，也因此而不懼妖神，表面看來，曹操是霸氣十足的，然而事實上，曹操內裏的氣勢卻支撐不起他外在的霸氣，那種霸氣便是虛怯的；接下來，曹操的砍樹而使樹身濺血，以至晚上見着了樹神，我們都可以理解是曹操意志崩潰的徵象。在這個意義上，對我們的啟發是更大的。至少到了今天，我們是應該這樣讀《三國演義》的。

每一個人都敵不過自己的年齡，或者說，每一個人都不能無視自己的年齡；如果我們以每一個十年作為一個年齡層，那末，我們便會較清楚地看到，每一個年齡層都是有自己的光采的，每一個年齡層的光采都有着自己的獨特性。懂得這一點，並且能夠欣賞每一個年齡層的光采的人，都是聰明者；倘若不僅是欣賞，而且是在每一種不同的光采下做適當的事的人，便都是成功者。

跌穿極限生命也告終

曹操的內在氣勢在下降，因此他便容易得病，在得了病之後也接受不了華佗的治療方法，還認定了華佗要那樣治他，一定是要給關雲長報仇。曹操的氣勢下降，牽連到視力模糊，由此作出了錯誤的判斷，自己的病治不了，華佗也給關在獄中，最後還死在獄中。從某個角度看，關雲長確是在報仇，不過，這倒不是發生了甚麼不可思議的事，而是可以用常理解釋的。

曹操還「看」到了不少的曾經遭他所害的人，像一一回來向他索命似的，到了這末的一個地步，曹操是完全地崩潰了，生存和死亡已經沒有甚麼分別了。到了這末一個時候，他相信甚麼呢？他相信這一句話：「獲罪於天，無所禱也。」前些時候，他還口稱連神妖都不怕，可是，過不了多久，他便自認是上天降罪於他，禱告也於事無補了。這也反過來說明了，在他口稱不怕神妖的時候，氣勢已在下降，而與此同時，這也說明了下降的急驟，直到跌穿了極限，生命也告終結。

另一個佐證是，曹操臨死前，命人在他死後給他建造疑塚②七十二個，那就是因為害怕給別人掘墓——他是連自己指定繼承他的事業的長子曹丕都欠缺了足夠的信心了。

這個時候，氣勢已經遠離曹操而去了！

②疑塚：故意佈置一些虛假的墓塚，以掩蓋真墓的所在地。

10

孫權奪了荊州，殺了關羽，設宴犒賞三軍。

主公，你殺了關羽，大禍不遠！

張昭從建業來到荊州。

甚麼大禍？

劉備得知關羽死訊，必起傾國之兵伐吳……

可把關羽首級送給曹操，使劉備發兵攻魏……

那怎麼辦？

好計！

孫權派人將關羽首級送給曹操。

這是東吳嫁禍於人的詭計……

唔！你說得不錯！

雲長已死，我可以高枕無憂了。

曹操把關羽厚葬在洛陽南門外。

劉備得知關羽遇害，哭得一連昏死數次。

我要起兵爲雲長報仇！

他們這是怎麼意思？

孫權「獻頭」想讓你恨曹操，曹操「厚葬」是讓你恨孫權！

聽說孫權已將雲長首級獻給曹操，曹操用王侯之禮將雲長厚葬。

冤有頭，債有主。我起兵伐吳，找孫權報仇！

劉備親自出南門爲關公祭奠招魂，蜀中將士全部掛孝。

孫權和曹操各懷鬼胎，主公宜按兵不動，先給關公發喪，等魏、吳不和時，再行征伐。

你這不是存心要殺害我嗎？

大王的病根在腦中，要腦袋開刀除去病根。

不久，曹操頭痛病復發，召神醫華陀前來醫治。

大王可聽說刮骨療毒之事？大王有病，怎可這樣多疑？

臂毒可刮，腦袋豈能開刀？你一定與關羽有交情，想謀害我！來人，把他拿下！

15

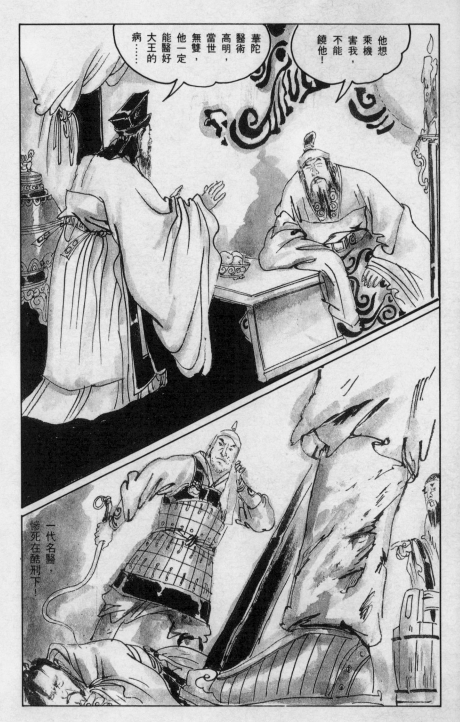

16

一天，孫權派使者給曹操上書。

曹操病勢愈來愈重。

孫權這小子，是想把我放在爐火上烤啊！我不會上當的！

望早正位，剿滅劉備，臣納土歸降。

曹操封孫權爲驃騎將軍、南昌侯，讓孫權去對付劉備。

17

曹洪等涕泣領命。

我生四子，只有長子曹丕可繼承大業，望你們好好輔佐他……

幾日後，曹操病危。

我縱橫天下三十多年，只剩孫權、劉備沒有勦滅……

一代奸雄，走完了人生的旅程

根據曹操的遺囑，曹丕繼承了魏王的爵位。

不久，曹丕強迫漢獻帝退位，自己做了皇帝，國號大魏。

19

二

張飛遇害

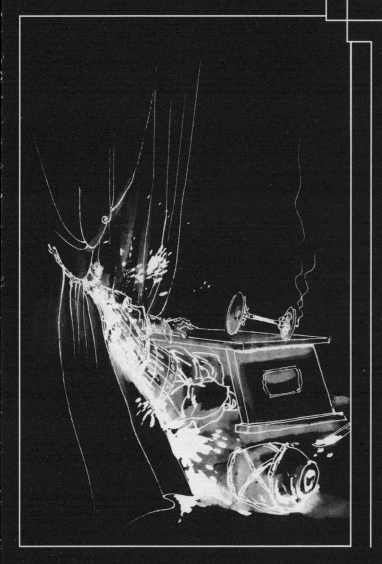

超逾結義兄弟的追求

昔日，劉關張在張飛的莊後桃園裏結義為兄弟，誓辭裏有這樣的一句：「不求同年同月同日生，但願同年同月同日死。」一直以來，劉關張三人都能牢記這句誓辭，雖然經歷了許多變化，可是，說到他們三人的關係，還是牢牢地建立在這句誓辭上。

忘恩負義的逆向思考

這末一種關係，歷來都能受到一些人的讚美，結義兄弟能守義達數十載，那是很不簡單的，甚至成為一種楷模，可是，我們也得說，這同時也是一種局限，相對於要取得更大的成就，這種局限便更大了。

到了後來，劉備成為了一國之君，關雲長和張飛則成了一國之大將，可是，他們的觀念，還是一點兒也沒有改變的。嚴格地說，到了這末一個時候，這個觀念已經成為了他們要向前發展的一種很大的掣肘了。說到這一點，我們很容易便會想起「忘恩負義」這一句老話，在許多人的老觀念中，「忘恩負義」與「大逆不道」幾乎是同樣地要不得的事，漸漸地，這便成為了一種壓力，使人難以從逆向去考慮這個問題。這樣，我們的空間，特別是思考的空間便愈來愈狹小了。

較關雲長遇害更不幸

關雲長的遇害，使劉備和張飛都痛不欲生。他們不約而同地，都不能在關雲長遇害這事情上得到有益的教訓，這是最不幸的事。且不說張飛，劉備作為一國之君，也完全因為關雲長之死而昏了頭腦，完全聽不入人家的意見，憑着一己的想法便要進軍東吳，要為關雲長報仇。

當時，很明顯的一個形勢是，曹操因為反漢篡漢，被視為奸雄，劉備則被視為「漢室苗裔」，討伐曹操，被視為申張正義，會得到一呼百和的效應。在這末一個情況下，先伐魏，然後伐吳，無疑是上上之策，可是，劉備就是為了要給關雲長報仇，無論如何都要攻打東吳。

名不見經傳卻成大事

較諸劉備，張飛更是變本加厲了。他在出兵東吳之前，所能做的事只有兩種，一是毫無節制地喝酒，二是鞭打不合他的意思的將士，包括了手下的兩員末將范疆與張達，後來，張飛就是在喝醉了酒的時候被這兩員末將所殺的，他根本連出征東吳的機會都沒有，更不要說其他了。

張飛生前，戰功顯赫，甚至連曹操都要畏他幾分

的，作為他的部屬，自然也是對他敬畏或畏懼有加的，他自己大概怎也想不到會死在兩個名不見經傳的、而且是屬於自己的部屬的兩員末將之手。

這樣的死，與轟烈二字根本沾不上邊，亦與關雲長報仇這回事沾不上邊，如果劉備要出師東吳，那末「陣前折將」，而且所折的是他的另一位義弟，對劉備更是一種巨大的打擊，從這個角度看，張飛便是反過來助了東吳一臂之力。

比任何敵人都要厲害

張飛挾有那樣的威名，兼且他睡覺的時候又是張開了眼睛的，便更是嚇人，可是，那兩員末將卻是拼了死也要刺殺張飛，結果，張飛就是這樣喪失了性命的。

事發前，張飛下令三軍要在三天之內製妥白旗白甲，掛孝伐吳，兩員末將請求寬限，被張飛痛打至吐血，張飛還聲言道：「若違了限，則殺汝二人示衆！」二人是如此這般地生出了那個可怕的念頭的。張飛做到了魏、吳想做而做不了的事。

「事情往往是敗在自己手上」，屢試不爽①，在某個程度上看，自己是比任何敵人都要厲害的，或者說，如果我們能理性地處事，則是最厲害的敵人也是不必害怕的。

掛孝出征這樣的事也不是罕見的，也不見得一律都會敗陣，關鍵在於，能不能保持理智，能夠理智者，便會曉得利用掛孝出征來激厲士氣；像張飛那樣，只是自己紅了眼，到了最後，還逼使兩員自己手下的末將殺死了他。

①屢試不爽：屢次試驗都沒有發生差錯。

曹丕篡位的消息傳到成都，劉備在諸葛亮等的相勸下也做了皇帝，國號漢。

劉備立長子劉禪爲太子，封諸葛亮爲丞相。

其餘百官，也一一陞賞。同時劉備又下令大赦天下，軍民皆喜。

現在曹丕篡漢，應該先公後私，先伐魏，後伐吳！

第二天，劉備下令，起兵伐吳，為關羽報仇！

劉備報仇心切，不聽勸告，並派使者到閬中召張飛回來。

諸葛亮和眾大臣再三相勸，劉備伐吳的決心才有些動搖。

幾日後，張飛從閬中趕來成都。

陛下做了皇帝，難道忘了桃園結義之情，爲甚麼不發兵爲二哥報仇？

別人哪裏知道我們的盟誓？陛下不出兵，我豁出命來，獨自去替二哥報仇！

百官多次勸阻，還沒最後決定！

劉備終於下定了伐吳的決心。

好！你帶兵從閬中出發，和我在江州會合，咱們一起去爲雲長報仇！

是！

28

劉備命諸葛亮
保太子劉禪
鎮守西川。

馬超，
協助魏延
鎮守漢中！

是！

黃忠，
任伐吳
先鋒，
立即出
發！

是！

趙雲，
作後應，
兼督糧
草！

是！

一切就緒，
劉備率領
七十五萬
大軍，
向東吳
進發！

白旗白甲三天辦不好，請寬限兩天！

第二天，部將范疆、張達回報。

張飛命武士將兩將各鞭背五十。

我恨不得明天就殺到東吳，替二哥報仇，你們竟敢違令拖延！

張飛回到閬中，命令部下在三天內製好白旗白甲，掛孝出兵！

到期必須完成！不然，殺你二人示眾！

主意不錯，但怎樣近他的身呢？

與其被殺，不如殺了他！

三天內肯定辦不成，怎麼辦？

好！

他常醉酒。等他醉後睡着了……

這天晚上，范疆、張達悄悄潛入張飛帳中。

31

他睜着眼，怎麼辦？

他鼾聲如雷，肯定睡着了。

兩人帶着張飛首級，投奔東吳去了！

啊……

兩人用刀猛刺張飛腹中。

32

三

劉備伐吳

怎樣正確認識我們種種感覺

劉備執意要伐吳，親領精兵七十餘萬，軍勢甚盛；孫權知道了，也不禁為之失色。

教關張後人也來結義

當時，孫權應付之道有二，其一是派諸葛瑾去說服劉備一起討魏，諸葛瑾失敗後，則派中大夫趙咨去說服曹丕出兵劉備，以解東吳之圍。可是，曹丕只是給了一個吳王予孫權當，然後便是坐山觀虎鬥。

張飛之子張苞和關雲長之子關興和劉備一起出征。張苞與關興相爭，劉備這樣教導他們：「朕自豚郡與卿等之父結異姓之交，親如骨肉；今汝二人亦是昆仲①之分，正當同心協力，共報父仇；奈何自相爭競，失其大義！父喪未遠而猶如此，況日後乎？」

接着，劉備便命張苞與關興二人結義為兄弟。

劉備識見沒多大長進

當時，劉備已經六十多歲了，閱歷不可謂不廣，而且還貴為一國之君，可是，從處理張苞和關興這件事情上，我們看到了，他的識見是沒有多大長進的。事實上，此時的劉備，只是要為關雲長報仇；加上了殺死張飛的那兩員末將又提着張飛的首級投向東吳，劉備的焦

點便更集中，也同時更看不到別的東西了。

劉備出征東吳，在碰上陸遜之前，一路上，可以說是勢如破竹的，後來雖然折了老將黃忠，影響還是不大的。這當中，年少氣盛的張苞和關興固然是幫了他的忙，但他更自恃的是「朕用兵老矣」的這一個想法，產生了一定程度的自信，甚至認為「朕亦頗知兵法，何必又問丞相？」那是說，他以為自己便是在兵法上，也頗有一手了。

劉備孔明兵法的高低

劉備態度的轉變，有以下三個原因，第一，他當上了皇帝，多多少少地，有飄飄然的感覺；第二，勢如破竹（連勝十餘陣），助長了他的信心；第三，連年征戰，他也總能吸收了一些經驗。

這時的劉備，其信心較諸往日任何時候的都要大。

我們還記得，昔日劉備在西川失利，便躲在城裏，要等候孔明趕到，再作商議，才決定下一步的做法。像這樣的例子是不少的。

作為主帥，當然不能沒有信心，否則部屬的信心也會動搖起來，可是，因為影響是這樣的大，所以主帥的信心也切戒是憑空而來，一時興至的信心是絕對靠不住的；此外，只是自己以為靠得住的信心，沒有足夠的實

據支撐的，也不要自欺欺人。劉備說自己有用兵的經驗，還頗知兵法，這都是說得過去的，一個征戰數十年的人，又怎可能在這樣的事情上全無所知呢？可是，說到兵法上不必問孔明，這便是距離事實頗遠了。

劉備逼出了一個陸遜

孫權得不到曹丕的實質支持，自己又欠缺了能人，在戰場上再失利，故被迫對劉備作出更大的讓步，他把殺害張飛的兩員末將和張飛的首級送還劉備，希望劉備接受了他的好意之餘，不再進逼。

其實，孫權也不是無兵無將，問題就是欠缺了能人，老的老，病的病；像甘寧，他便是得了痢疾而不能負起重責的。

孫權還答應送還荊州，同時把孫夫人還給劉備，之後是合力進擊曹丕，但劉備不答應，誓要先滅東吳，這便逼出了一個陸遜，為孫權立功了。因為，陸遜雖然受到闞澤的大力推薦，但他畢竟是一介書生，由他來擔任大都督，如果不是處於非常時期，這幾乎是不可能的事，這末一來，麻煩就不會來到劉備的頭上了。

②千載一時：一千年才遇到這末一次時機。形容機會的難得與可貴。

是潛意識在提出警告

我們也可以說劉備是自找麻煩。當然，在主觀願望上，誰都不會自找麻煩和自招煩惱的，當然更不會自己把自己一步一步地推向絕路。然而，客觀地看，這樣的事情卻實實在在地一再發生，也是因為這樣而值得我們重視起來的。我們變得愚蠢，那往往是因為我們不知道或不承認自己的愚蠢，甚至自以為聰明，自以為一切都好。

大抵，每一個人都是這樣的，當你覺得一切都不錯的時候，便得警惕起來，看看是否正有不那末好的事情在發生，像這樣的一種檢查，還要認真一些。張飛死前，也曾自覺「神思昏亂，動止恍惚」，便問部將：「吾今心驚肉顫，坐臥不安，此何意也？」部將答道：「此乃君侯思念關公，以致如此。」張飛沒有認真地追尋答案，得不到及時的改進，便避不開那一場大禍。

《三國演義》裏，由於種種原因，往往把一些不好的自我感覺引到一些玄妙的地方去，到了今天，我們知道了潛意識這一回事。有一些時候，潛意識是會向我們提出警告的，希望我們能及時作有效的自我反省。這樣的機會，我們都得認真地把握，因為，有的時候，這樣的機會，確是千載一時②。

38

報！劉備發兵報仇，大軍已出夔關！

劉備兵勢浩大，怎麼辦？

諸葛瑾立即起程。

好！

我去見蜀主，勸他息兵和好，共伐曹丕。

39

吳侯願交還荊州，送回孫夫人，縛還降將，希望兩國和好。

殺弟之仇，不共戴天。要我退兵，除非我斷了氣。

我願去見魏帝，請他襲擊漢中⋯⋯

好！

這樣東吳便危險了！

諸葛瑾向孫權稟報。

兩虎相爭，必有一傷。我先坐山觀虎鬥，然後坐收漁利……

趙諮來到許都，拜見曹丕。

曹丕派人封孫權爲吳王，卻不肯出兵相救。

吳王孫權只得派侄兒孫桓和大將朱然領兵五萬，前去禦敵。

41

蜀軍銳氣正盛，把孫桓打得大敗，退守夷道城！

韓當、周泰、潘璋率兵十萬，前去救援！

是

兩軍相遇，吳軍又大敗。

42

當時我倆見劉備勢大，又叛吳歸蜀。

糜芳、傳士仁見劉備勢大，又叛吳歸蜀。

別花言巧語！我不殺你們，怎對得起二弟！

劉備令關羽之子關興親手殺掉糜芳和傳士仁。

劉備長驅挺進，深入吳境數百里。

43

劉備讓張飛之子張苞殺了范疆、張達，祭奠張飛亡靈。

孫權慌了，派大夫程秉帶着裝有張飛頭顱的木匣，押着殺害張飛的范疆、張達，往蜀營再次求和。

吳侯願送還荊州和孫夫人，希望雙方言和，共滅曹丕。

休想！我的仇人是孫權！我要先滅吳，再滅魏！

四

書生拜大將

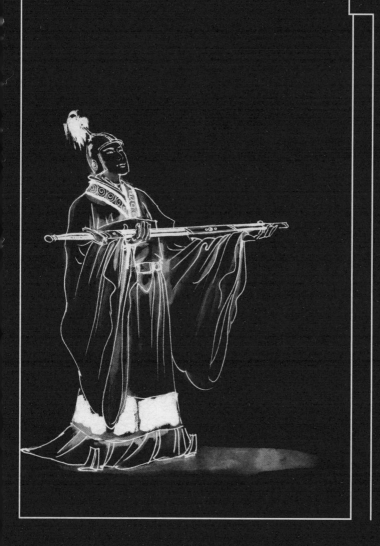

黃口孺子戰場一再顯威風

劉備大軍壓境，孫權臨危授命，由書生陸遜當大都督，卻一下子難以服眾。

無遠名者能驕人之心

其實，陸遜在此之前也曾擔負過重任，那一次，孫權要趁着關雲長離開荊州進攻樊城之機，奪回荊州，大將呂蒙自動請纓，後來卻無寸進，幸得陸遜獻策，驕關雲長之心，那就是讓呂蒙稱病退了下來，由一個無遠名者接任；這樣，關雲長便會盡傾荊州的兵力，以圖一舉攻下樊城；這樣，孫權要取荊州，機會便大增了。

後來呂蒙就是由陸遜接替自己「偏將軍右都督」的職位。結果，孫權是在兵不血刃的情況下取得荊州的，陸遜的聲名也由此而起。

陸遜要伺機使用奇兵

這事情，孫權的部屬也不是不曉得，可是，他們對孫權授陸遜爲大都督，心裏還是不服氣的，特別是，陸遜一上場便命令各將堅守，眾人便更加以爲陸遜一介書生，是不懂得用兵之道了。

陸遜的看法是：「劉備舉兵東下，連勝十餘陣，銳氣正盛，今只乘高守險，不可輕出，出則不利。」這種

分析並非沒有道理，何況陸遜也不是不出，他又說，劉備大軍「馳騁於平原廣野之間，正自得志；我堅守不出，彼求戰不得，必移屯於山林樹木間。吾當以奇計勝之。」這是說，陸遜也不是光懂得死守的，然而，儘管這樣，眾將還是不願聽他的。

孫權委陸遜為大都督

文官不能統領武將，似乎是自古而然的事，難得有人去想一想，這是不是必然的事。孫權雖然任用陸遜當上了大都督，但他其實對陸遜的才能並非一無所知，卻要待闞澤上奏之後，方有這個決定，這與「知人善用」是頗有一段距離的，也因為這樣，我們不能給孫權予「破格」的獎賞，反而要懷疑孫權不過是「病急亂投醫」。

破格用人，所需要的不僅是勇氣，更重要的是識見——也就是許多人所說的「獨具慧眼」了。

甚麼是典範中的典範

劉備當日「三顧草廬」，那一份誠意無疑是可嘉的，在求材若渴這一點上，更成為了千秋的典範，然而，我們也不能說劉備是獨具慧眼的，因為那時孔明已經有了名氣，而劉備也是要請孔明當軍師，亦談不上是破格。

破格是很困難的，能夠三顧草廬已是難能可貴，倘若是三顧草廬加上了破格，便更是典範中的典範了。

陸遜曾經使關雲長成為了驕兵，有先例可援，這件事情，劉備是不可能不知道的，但是，同樣的一個陸遜，竟然再一次地驕了劉備的兵。事實上，馬良已經把陸遜如何襲荊州的事再次對劉備說了，劉備聽了，說：「朕用兵老矣，豈反不如一黃口孺子①耶！」

真的學懂了這一個字

就這樣，劉備繼關雲長之後，也成為驕兵，儘管他此來是要給關雲長報仇，也儘管這一次無論是陸遜抑或是孫權，都沒有驕劉備之兵的打算。

劉備的成為驕兵，也不完全是因為陸遜，不可忽略的是，劉備一方面成為了一國之君，另一方面又以為自己在用兵上有了豐富的經驗——這就是說，他先有了驕傲的內在，再來了一個「黃口孺子」（少不更事的孩童），這就不能不成為驕兵了。

劉備成為了驕兵，可以說是陸遜意外的收穫。

另一方面，對於一些人來說，驕兵，卻又是必然的事。

「驕兵必敗」的故事教訓我們甚麼，我們到底清楚不清楚，是要到遇事才見分曉的。劉備，縱使是老於用兵

之道，起碼這一次，就是不清楚。

　　一個人，心裏經常放着一個學字，那便不會自滿，是要好得多的。這一個學字，並沒有年齡之分，沒有老幼之別，同時也沒有先後的次序，對這一點，我們要有充分的認識，才算得上眞的學懂了這一個字。

劉備不肯講和！

程秉向孫權報告。

唉！周瑜、魯肅、呂蒙都已去世，誰能統帥全軍呢？

東吳有擎天玉柱，主公為甚麼不用？

誰？

陸遜。他雖是個書生，但雄才謀略，不在周郎之下！主公若用他，一定能打敗蜀兵！

你不說，我幾乎誤了大事。

50

51

大王應築壇拜將，使百官敬服！

你說得對！

孫權命人連夜築起一座拜將壇。

我任命你為大都督，統領全國軍馬！

臣勿命！

第二天，孫權登壇拜將。

朝裏的事，由我處理；外面的事，由你全權負責！

是！

孫權授陸遜寶劍印綬。

陸遜令丁奉、徐盛爲護衛，調集各路人馬，來到前線猇亭。

家將心中不服，勉強參拜！

完了！

主公怎麼用個書生作大將，這回東吳完了！

主公命我督軍破蜀，軍有章法，各宜遵守，不得有違！

現在孫桓被困在夷道城中，請都督早日救援！

孫桓深得軍心，必能堅守，不必去救。待我破蜀之後，其圍自解！

衆將竊笑而退

唉！叫這無用的書生來當大將，主公不知怎麼想的！

剛才我拿話試他，料他拿不出計策來！果然不錯，還想破蜀兵呢！

大都督是個膽小鬼！

我也有同感！

將領們不服，不肯好好守關。

第二天，陸遜傳令諸將牢守隘口，不許出戰！

我叫你們堅守關口，為甚麼不遵號令？

又過了一天，陸遜升帳。

56

韓將軍說得不錯，我們都願決一死戰！

我們都是身經百戰的老將，願與劉備決一雌雄，不知都督為甚麼只令堅守，不肯出令戰？

主公命我督軍破蜀，我自有破蜀妙計！你們只許把守險要，不得妄動，違令者斬！

57

五

火燒連營

爲甚麼精兵也會大敗

劉備依山林茂盛之地和溪澗之旁結營，大軍七十餘萬，連營七百里。

新官上任卻沉得住氣

劉備派一將，領萬餘老弱殘兵，向陸遜叫陣，如果陸遜不知是詐，引兵而出，劉備便親率伏兵，斷陸遜的歸路，這末一來，陸遜便可擒得了。

然而，陸遜卻沉得住氣，看了又看，終於認定了劉備所用的，是驕兵之計，故此並沒有上當。陸遜剛剛當上了大都督，所謂「新官上任三把火」，難得的是，陸遜並無這一個陋習。他又知道，手下武將都對他沒有信心，在這個情況下，最有說服力的做法，就是很好地打一場勝仗，可是，陸遜卻一再命令衆將不可輕出。能夠這樣，全是由於，陸遜能沉得住氣。

陸遜要堅守一等再等

沉得住氣，冷靜，對決策者是非常非常的重要。陸遜當然知道打一場勝仗對他有着怎樣的一種作用，但他要等一個最好的機會，打一場最大的勝仗，而且，他看到了，這個機會就在眼前。

劉備轉移陣地於山林溪澗旁，待「過夏到秋」，便

「併力進攻」。他也知道，自己轉移陣地，對陸遜來說，是一個進襲的好時機，因此，他才佈下老弱殘兵，引陸遜出擊。

陸遜卻要再等下去。首先，他要等劉備移兵至山林溪澗之所——果然，劉備是那樣的做了；其次，他要待劉備的伏兵離去——又果然，過了幾天，劉備的伏兵便伏不下去了；還有，他要待劉備「兵疲意阻」，才大舉進襲。

劉備爲甚麼犯上大忌

有的時候，決定勝負的，不是人力物力，而是時間；沉得住氣者，便可以得到最有利於自己的時間。至於甚麼叫做最有利於自己的時間，則需要準確的判斷。劉備也需要這樣的一種時間，他的算盤是，轉移軍隊，待得夏過秋來，便大舉進攻。

劉備是立足於攻；也許，出師以來，攻無不克，確立了他的這種信念。他沒有想到的是，陸遜這個「黃口孺子」也不光是只懂得縮在裏面的，原來陸遜的堅守，就是爲了進攻。

曹丕說劉備「不曉兵法：豈有連營七百里，而可以拒敵者乎？包原隰險阻屯兵者，此兵法之大忌也。」包，通苞，是草木叢生的意思；原，是高平之所在；

隰，即潮濕。總的來說，地形複雜之處，是不利於屯兵的。

精兵殘兵的互相轉化

曹丕是只知其一不知其二。劉備表現出來是無知，但事實上是不至於如此的。上面也說過，他是失諸只着眼於攻，過於輕敵。孔明知道了劉備的部署，亦料到劉備會大敗，他甚至說：「漢朝氣數休矣！」他給劉備安排的退路，就是佈下了八陣圖的白帝城。

結果劉備是大敗一場，元氣大傷。到了最後，他所帶的七十萬精兵只餘百多人，可以說是一敗塗地。

劉備着眼於攻，不着眼於守，連營七百里，像長蛇一般，自然是容易給陸遜以較小的兵力而有效地擊破；又因為靠近山林之地駐軍，被陸遜以火攻之，很快便成為一片火海，最要命的是，劉備想不到陸遜會有此一着，處處受制，兵敗如山倒。

是誰退陸遜所領勝兵

所以說，劉備帶的雖說是精兵，但最重要的，還是帶兵者是否精於用兵之道，考慮得是否周全，否則，最精的兵也會變得不堪一擊；反之，則化腐朽為神奇。這

裏面，存在着很大的變數。

劉備逃到白帝城，孔明就靠着在魚腹浦所設的八陣圖退陸遜所領的勝兵，與此同時，陸遜也擔心曹丕會乘機襲擊東吳，所以也不窮追，由得劉備去了。

欺人太盛！我去教訓他們一下！

陸遜，膽小鬼！韓當，免崽子！

劉備一面親自率軍攻打，一面令士兵罵陣。

蜀軍銳氣正盛，不宜出戰。待到夏天，他們求戰不得，必向山林間移營，我用奇計勝他！

韓當口中應諾，心中仍然不服！

都督說的是！

陸遜又到各處關口，撫慰將士，命他們好好守關，不要隨便出擊。

陸遜堅守不戰，是在等待時機，我軍一動，吳軍必然出擊！

天氣炎熱，把兵馬移到山林間屯駐，等秋涼再進兵。

兩軍相持數月，轉眼到了夏天。

我叫吳珀率一萬老弱殘兵在吳寨附近誘敵，我率精兵埋伏在山谷中，萬無一失。

相持數月，沒看出陸遜有甚麼謀略，他不敢出擊的！

萬一出擊，怎麼辦？

在山林密處結營，是兵家大忌。吳軍倘用火攻，無法解救。你快回去教主公另移營地。

馬良見到諸葛亮。

是誰教主公這樣下寨的？可先將這人斬首！

是主公自己的主張。

如吳軍已勝，怎麼辦？

我料陸遜怕魏兵斷他後路，不敢追來。主公有失，可到白帝城暫避。

另外，我入川時，已在魚腹浦埋伏下十萬大軍，足可擋住陸遜。

我幾次經過魚腹浦，怎沒見到一兵一卒？

你不要多問，日後自會明白。

陸遜英明！

陸遜獲勝，必長驅入川。我從背後襲擊，東吳唾手可取！

這時，曹丕也得到了吳、蜀戰況的報告。

劉備屯兵山林間，必被陸遜所敗。

曹丕派人傳令，曹仁率軍出濡須，曹休率軍出洞口，曹眞率軍出南郡，偷襲東吳！

是！

是！

是！

69

吳班引軍到關前討戰，百般辱罵。

蜀兵欺人太盛，我倆去煞煞他們的威風！

前面山谷中灰塵彌漫，必有伏兵。你們不要上當！

劉備留下的營中都是老弱殘兵，我同韓將軍分兩路出擊，如不勝，甘當軍令。

陸遜帶着韓當、周泰等去觀察蜀軍動靜。

這是劉備的誘敵之計，三天後便見分曉。

衆將都不理解陸遜的意圖，嘻笑離去。

我正要蜀軍移營快點移營呢！

三天後蜀軍移營已定，出擊還有甚麼用？

你們看，吳班的老弱殘兵已退走，劉備的伏兵也必將從山谷中出來。

我當初不同意你們攻擊吳班，正是為此！現劉備伏兵已出，幾天之內，我要大破蜀軍！

三天後，陸遜又帶諸將到高處觀望。

不多時，劉備率一支精兵從山谷中出來。

71

破蜀應在劉備初來之時。現在他們連營六七百里，險要處都已設防，怎能大破？

劉備是當世英傑。蜀軍初來之時，銳氣正盛，如今日久，必然麻痺輕敵，士氣消沉，進攻正在今日！

陸遜回營，定下破蜀之策，派人送信給孫權。

江東有這般人才，我還怕甚麼？

蜀軍指日可破……

孫權下令，派大軍前往接應

我受命以來，未會出戰，今欲取江南一營，誰先出馬？

諸將爭着請戰。

殺殺——

殺殺——

我殺——

是！

丁奉、徐盛，你倆帶兵三千，前往接應。如淳于丹敗回，出兵相救，但不可追殺！

陸遜不用大將，卻派末將淳于丹率兵五千去取江南第四營。

遵命！

73

淳于丹在黃昏時分偷襲蜀營。

第四營守將傅彤引兵迎戰。

淳于丹打不過傅彤，吳軍大敗。

蜀軍左、右兩營援兵殺到，吳軍損失大半。

徐盛、丁奉前來救援，救回淳于丹，打退蜀軍。

這不怪你，是我在試探敵人的虛實。大破蜀軍之計，我已定下了！

淳于丹回營，向陸遜請罪。

蜀兵勢力很大，難以攻破。

陸遜仰天大笑。

我這條計策只瞞不過諸葛亮，幸而此人不在，我一定會成功！

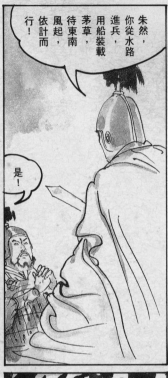

朱然，你從水路進兵，用船裝載茅草，待東南風起，依計而行！

是！

眾將聽令！

韓當率軍攻打江北營寨，周泰率軍攻打江南營寨，均用火攻，蜀軍四十個營寨，隔營放火燒！

是！

徐盛、丁奉，你倆率軍一萬，殺奔劉備禦營！

這是陸遜的疑兵之計！

報！吳軍人馬調動頻繁！

是！

關興、張苞，你倆帶五百騎兵去巡查，有情況立刻回報！

黃昏時分，兩人回來報告

江南大營起火。

江北大營起火。

關興去江北，張苞去江南，查明起火原因！

初更時分，東南風起，吳軍首先襲擊禦營左屯。

報！右屯火起！

報！左屯火起！

不好！吳軍發動火攻！快撤！

左、右兩營將士奔向禦營，人馬自相踐踏，亂成一團。

蜀軍四十座大營，有一半大營著火。火光衝天，映得如同白晝！

衝啊——

殺啊——

劉備，你往哪裏逃？

徐盛追殺劉備。

劉備奪路而逃，丁奉迎面攔住。

劉備陷入困境，
進退無路。

抓住
……
劉備

活捉
……
劉備

……
劉備

傅彤也領兵趕來，
保護劉備。

張苞領兵殺入重圍，
救出劉備，向西逃跑。

張苞、傅彤保着劉備上馬鞍山暫避。

陸遜率兵圍山。

圍住馬鞍山，活捉劉備！

吳兵又放火燒山！

關興率軍上山，與劉備會合。

情況危急，請陛下速奔白帝城！

誰斷後？

我拚死斷後！

關興、張苞保着劉備奔向白帝城。

傅彤力戰吳將，英勇陣亡。

陸遜大獲全勝，乘勝追擊。

趙雲殺散吳兵，保著劉備退往白帝城。

陸遜派人偵察，卻不兄一人一騎，江邊只有亂石八九十堆，列成陣勢。

不好！前面殺氣衝天，必有埋伏！

陸

85

這是諸葛亮入川時擺的石陣。

陸遜縱馬進入石陣。

我中諸葛亮的計了!

陣中突然狂風大作,飛沙走石。

陸遜左衝右突,卻出不了石陣。

陸遜派一將斷後，勝利班師。

報！曹仁、曹休、曹真三路人馬，殺奔而來。

果然不出我料……

陸遜真是個將才，劉備吃了大虧，我也低估了他！

陸遜早有部署，曹丕三路人馬，均被殺敗。

88

六

白帝城託孤

臨終三事得見雄才

劉備大敗於孫權之後，染病不起。

臨終之前，劉備做了三件事。

一反常態無人可制衡

第一，他向孔明表示，自己是做錯了：「何期智識淺陋，不納承相之言，自取其敗。悔恨成疾，死在旦夕。」

有的事，是不能錯的，一旦錯了，就會牽連廣遠，積重難返①。劉備之錯，是大錯，這使他「悔恨成疾，死在旦夕。」劉備能夠做出那末大的錯事，是因爲他當上了皇帝，有無上的權威，只要他決定下來的事，便無人可以反對，也無一套有效的法律可以制衡。

我們記得，劉備入西川之初，曾經命孔明制定一套法律，使西川得到大治，然而，劉備自己卻有超然的地位，如果他還保有幾分謙虛，有幾分謹愼，那還好一些。他身邊的和他出生入死的大臣如孔明、趙雲等，也常常給他提意見，他一般都會聽，這便使得國家朝着一個好的方向運作。可是，他帶領大軍進攻東吳，卻是一反常態，許多人提出反對，他都一概不聽。

①積重難返：弊端太多，一時難以改變。
②剛愎自用：強硬固執，自以為是。

對付自己的一套機制

結果怎樣，我們都知道了，那就是使七十萬精兵陷入了死胡同，使國家元氣大傷，連孔明也得嘆道：「漢朝氣數休矣！」

身在高位的人，能夠設計出一套有效對付自己的機制，說不定就是最大的建樹了。這樣說，乍聽起來，似乎是一種諷刺，但是，推敲下去，我們便不得不承認，許多時候，這個說法是自有其道理的。

一個人，無論本來的性情如何，只要上到高位，漸漸便會剛愎自用②，無視一切。例如劉備，他怎會想到萬夫莫敵的關雲長和張飛這兩位結義兄弟會剎那間相繼被殺害？他完全沒有這個準備，他完全預想不到自己會失衡，想不到他會聽不入包括孔明在內等人的意見。

言過其實則不可大用

任何人都會有一些事情是自己想不到的，所以，特別是身在高位的人，設計出一套必要時能對付自己的機制，是十分必要的，否則，「悔恨成疾，死在旦夕」，那又有甚麼用？悔之莫及矣！

劉備臨終所做的第二件事，就是勸告孔明謹慎用人。

他問孔明，馬謖此人如何？孔明說其人應是「當世之英才」，劉備聽了說：「不然，朕觀此人，言過其實，不可大用。丞相宜深察之。」

言過其實，是急功近利、想在短期內得到重用的人所常有的做法。領導者不清醒，聽進了一些好聽的說話，便會重用說這樣的話的人。

不可强求故以退爲進

觀人之術，其實也是一種統計的學問——關鍵在於我們對此有沒有正確的認識，有沒有不斷的總結經驗並且加以比較、歸納和提升。劉備見過那麼多的人，也用過那麼多的人，在觀人這方面，多少是有一些心得的。他與孔明談及馬謖，只是以此爲例，希望孔明今後在用人上用得更好些。

第三件事，就是託孤了。

在這事情上，劉備爲了自己的兒子劉禪能順利地登上帝位，他以退爲進，說倘若劉禪不可輔，則請孔明取而代之。他知道，如果孔明要這樣做，是大有可能的——當然，他也估計孔明是多半不會這樣做的，但他仍然要試孔明一試，如果看出有甚麼問題，也可趁自己一息猶在③的時候，可以做一些事情。孔明聽了，表明自己一定不會那樣做，並且叩首至流血。

臨終三件事互有關連

劉備接着命守候在側的二兒三兒劉永和劉理等以父事丞相，在遺囑裏，同樣囑劉禪事孔明如父，這便是給予孔明最高的地位，希望孔明能安心，能心無二用。

劉備臨終所做的這三件事，都是互有關連的；做了那末大的一件錯事，他不能不道歉，否則何以服衆，何以安排自己的後事？其次，他知道今後的國家大事，實際上是由孔明——處理的了，對孔明來說，怎樣用人便變得比以往任何時候都重要；第三，劉禪能在孔明的輔助下繼位，即使是形式上的子承父業，劉備也心滿意足了。

我們很難要求劉備跳出世襲的傳統，到了今天，我們當然應該知道怎樣做是最好的了。

劉備退守白帝城後，憂鬱成病。

我悔不聽丞相的話，才有今日慘敗，現在還有甚麼臉回成都去呢！

勝敗乃兵家常事，陛下要多保重身體！

不久，劉備的病愈來愈重。

我快不行了！快去請諸葛丞相和尚書令李嚴來，聽受遺命。

皇上病重，請丞相速去！

諸葛亮留太子劉禪守成都，和尚書令李嚴、劉備次子魯王劉永、梁王劉理趕往白帝城。

賜丞相坐臥榻旁！

丞相，我好懊悔沒聽你的話。現在自知將死，不得不把大事囑咐給你。

願陛下善保龍體，以副天下之望！

馬謖，你先退下！

他也是當世的英才。

丞相認為馬謖的才學怎麼樣？

我看他只會紙上談兵，不可大用，望丞相深察。

劉備召眾臣進來，把遺詔交給諸葛亮。

劉備掙扎着坐起，書寫遺詔。

我本當和你們同滅曹賊，共扶漢室，不幸半途而別。詔書交將太子，煩丞相請多多教導他。

97

我快死了，有心腹話對你說。

劉備命內侍扶起諸葛亮。

你的才能勝曹丕十倍，必能安邦定國。如果太子能輔助他的話，請你輔助他；要是不行的話，你可自立為成都之主......

不知陛下還有何旨意？

陛下放心，我一定竭力効忠，至死方休......

諸葛亮聽完，跪下泣拜。

劉備又請諸葛亮坐在榻上，喚魯王劉永、梁王劉理近前囑咐。

我死以後，你兄弟三人，要把丞相當作父親看待，不可怠慢。

是！

對家官

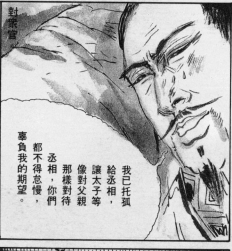

我已托孤給丞相，讓太子等像對父親那樣對待丞相，你們都不得怠慢，辜負我的期望。

我即使肝腦塗地，也難報陛下的知遇之恩啊！

劉永、劉理向諸葛亮行跪拜大禮。

謹遵陛下聖言。

我們在患難中相交，不料就要永別。你要早晚看顧太子，不要辜負我的心願。

劉備又特地囑咐趙雲。

我一定効犬馬之勞！

不一會，劉備氣絕，享年六十三歲。

七

安居平五路

勝在掌握了獨特性

　　劉備病故之後，曹丕以「蜀中無主」為理由，要起兵伐之，這便是「以全概偏」了。我們常說的是不要「以偏概全」，就是不要以局部等於全局；但是，「以全概偏」，把一般行得通的做法放在局部上，以為也同樣行得通，那也是不妥當的。

以偏概全和以全概偏

　　無疑，「國不可一日無君」，否則，大家都覬覦①那個誘人的皇位，便會引起連場爭鬥，內部不穩，便會招來「狂蜂浪蝶」了。然而，曹丕正是犯上了「以全概偏」的毛病，一來孔明很快便讓太子劉禪繼位，二來，孔明當上了「相父」，地位極高，且得到劉禪的尊重，指揮若定，與曹丕心目中的亂局，完全是兩回事。

　　賈詡說得好：「劉備雖亡，必託孤於諸葛亮。亮感彼知遇之恩，必傾心竭力，扶持嗣主。陛下不可倉猝伐之。」

　　賈詡是有見地的，他的洞悉力比曹丕的強得多。我們就是要既見到樹木也要見到森林。森林是由一大片的樹木所組成，可是，每一株樹木卻各自有着獨特的形態，不是森林所概括得了的。

較兵分四路多了一路

然而，司馬懿附和了曹丕的意見，他說，只要兵分五路，可以馬到功成。

這五路中的三路，包括了遼東鮮卑國的十萬兵，南蠻之蠻王孟獲的十萬兵，孟達的十萬兵，再加上東吳的十萬兵和曹丕自己的十萬兵，共五十萬，分成五路，從不同的方位，一起進攻西蜀，務使孔明顧此失彼，如此一來，西蜀危矣！

司馬懿的這個兵分五路，自以爲是萬全之策，甚至有不勝無歸之概！人家兵分四路，他多了一路，而且其中的四路都是人家的兵，這樣的仗，自然是好打的。

無疑，司馬懿也得解決怎樣可以動用得了人家的兵這個問題，看他的辦法，不出以下三種，第一，以錢財收買（鮮卑和孟獲）；第二，調動降將（孟達）；第三，以土地交換（東吳）。

通觀全局而後着厲害

結果，司馬懿這個如意算盤並沒有行得通。

曹丕以五路大軍進攻西蜀的消息傳了出來，劉禪不禁大驚失色。唯一的求救對象，就是孔明了，可是，孔明偏偏在這個時候稱病，閉門不出。後來，劉禪親自登

門，才在池邊看見孔明在觀魚。

面對曹丕的五路大軍，孔明還可以安居自得。

原來，孔明的安居，純屬疑兵之計②。

曹丕以爲西蜀必亂，故孔明來一個安居，處之泰然，使對方摸不着頭腦。其實，孔明暗裏已作好了部署，一一瓦解曹丕的五路大軍。孔明把自己的設想，對劉禪侃侃而談，那情景，就像下象棋的通觀全局，而自己安排的多個後着又能夠一一針對對手的部署，那是既看到了森林，復看到樹木。

相比之下，司馬懿便粗枝大葉得多，他的後着也遠遠比不上孔明的厲害。

扭轉東吳的觀火態度

孔明的力氣，主要用在東吳那一方面。他知道，只要曹丕的東吳以外的其他四路大軍失利，東吳也便會按兵不動，可是，他爲求周全，還是選派了鄧芝作爲使者，游說孫權。

孔明選中了鄧芝，那是因爲他曉得這一位戶部尚書能充分理解和充分掌握他的策略。劉備新近才大敗於東吳，西蜀又面臨曹丕五路大軍的進攻，可以說，在魏、蜀、吳三者之中，西蜀是絕對地處於劣勢的。東吳很容易便會把鄧芝此來看成是求援，如果不能扭轉東吳的這

一種看法，鄧芝在東吳的日子便絕對不會好過，而更重要的是，東吳會抱着隔岸觀火的態度，萬一曹丕得利，便會隨時倒向曹丕那一邊。

這個時候的孔明，是特別謹慎的——這是由於西蜀處於劣勢，而他又身負重任；可是，他又知道，只要處理得好，這個劣勢是可以逆轉的——他有這樣的信心。

關鍵在於鄧芝了。劉備臨終前曾經提醒孔明要善於用人，孔明這次用鄧芝，是用得對極了。鄧芝最大的成功，在於使孫權相信，東吳與西蜀修好，並非是西蜀得益，東吳的得益也不會在西蜀之下。

這是否光是因為鄧芝的口才好？好的口才固然需要，但最重要的，是客觀上本來就存在着那末一個形勢和那末一種關係，鄧芝所做的，就是很好地把這末一個事實向孫權表述出來。我們還得看到的是，鄧芝的表述，不是依了孔明的葫蘆畫瓢，而是自己確實有着那樣的一種理解。

鄧芝在這樣的一個基礎上，有着無比的信心，所以能很好地發揮他的口才，出使得捷。

劉備死後，太子劉禪即位。

劉禪加封諸葛亮為武鄉侯，尊稱他為相父。

劉備托孤於諸葛亮，諸葛亮肯定早作戒備，倉促進兵，未必能勝。

消息傳到魏國，曹丕大喜。

劉備剛死，劉禪無能，我想乘機伐蜀，你們以為怎麼樣？

106

如只起中原之兵，無濟於事，若用五路兵馬，四面夾攻，可穩操勝券……

好！

不乘此時進兵，更待何時？

你有甚麼妙策？

曹眞，你率十萬兵馬，攻打陽平關！

是！

你們分頭去聯絡柯比能、孟獲、孟達、孫權四路人馬……

柯比能率十萬羌兵，
進犯蜀漢陽平關。

遼西鮮卑國王柯比能、
南方蠻王孟獲、降將
孟達答應出兵。

孟達率兵十萬，
進犯漢中。

蠻王孟獲率兵十萬，
進犯益州四郡。

主公可召
陸遜前來
商議。

使者來到東吳，
孫權躊躇不決。

我料魏
不是
諸葛亮
對手，
主公可假
作答應，
但別發兵，
觀望一下
再說。

孫權召見陸遜。

請轉告
魏帝，
待我籌辦好
軍需，即刻
進兵。

快去召相父入朝商議！

是—

報！曹丕調五路大軍，征伐西川，形勢危急！

啊—

丞相有病，不能出門。

丞相有令，概不見客。

第二天，劉禪派黃門侍郎董允、諫議大夫杜瓊去見諸葛亮。

門官無法，只得進去稟告。

魏兵五路犯境，軍情緊急，丞相身負大任，怎能推病不見？

丞相說，明天身體若好些，就上朝議事。

董允、杜瓊怏怏而回。

第三天，眾多官員來到相府門前，等候議事，諸葛亮卻一直沒出來。

丞病體如何？

小史不知。丞相只關照擋住百官，不許進見。

劉禪只好親自來到相府。

劉禪走進第三道門，只見諸葛亮拄了拐杖，在池旁觀魚。

相父身體好些了嗎？

臣該萬死。

曹丕調五路兵馬犯境，相父爲何不肯出府共議對策？

魏兵大舉進攻，我豈會不知？剛才我不是在觀魚，而是在思索退兵之計。

陛下放心，羌王柯比能、蠻王孟獲、魏將曹眞、反將孟達四路，我已派人退去了。

哪怎麼辦呢？

如何退法？

113

——羌王柯比能一路，我已連夜派人授計馬超，在西平關埋伏奇兵擋住。

馬超在此！

啊，神威天將軍，快退兵！

李嚴說得不錯……

——孟達和李嚴交情很好，我借李嚴名義，發信勸孟達不要為曹丕効命，孟達必然推病不出。

——蠻兵多疑,我令魏延佈置疑兵,孟獲必不敢進。

蜀軍防備森嚴,不知埋伏了多少人馬?不如收兵回去。

——我調趙雲去守陽平關,囑他堅守不戰。

此關易守難攻,還是退兵吧!

——我又調關興、張苞率兵三萬,作為各路救應……

115

只有東吳一路，我已有退敵之計，但要有能言善辯之人作使者，因人選未定，正在躊躇。

相父真有神鬼莫測之計，我還有甚麼可擔憂的呢？

劉禪告辭回宮，諸葛亮送至門外。

諸葛亮見等候在府外的官員滿臉憂愁，只有戶部尚書鄧芝若無愁意。

百官皆憂，你為何獨自發笑？

我料丞相早有安排，何憂之有？

目下三國鼎立，想要一統天下，應採取甚麼策略。

一洗先帝舊怨，堅持聯吳抗魏！

好！我正要找個人出使東吳，你堪當此任！

我一定不辱使命！

這是諸葛亮的退兵之計，派鄧芝來作說客。

鄧芝來幹甚麼？

鄧芝來到東吳，求見孫權。

在殿上立大鼎，裝滿沸油，先警告他不得作說客，看他如何對答！

此計極妙！

怎麼對付他？

118

孫權安排妥當，召鄧芝上殿相見。

鄧芝，你想作說客的話，請你下油鼎！

哈哈！常聽說東吳人才濟濟，想不到我竟令你們一個書生如此害怕！

誰怕你來？

好！你說吧！你說得對，我聽你的：說得不對，請你下油鼎！

既然不怕，何又愁我來說你們呢？

119

不！
大不
相同！

我和
曹魏
聯合，
不是一
樣嗎？

我認爲大王
只有和蜀漢
聯合起來才能
生存！進，
可以兼吞天下
退，可以固
守疆土！

大王
如認爲
我說錯了，
我立即
跳進
油鼎！

吳魏結盟，
大王必得低頭
稱臣，聽命於
曹丕；如有違抗，
曹魏便會發兵征討，
如蜀漢乘機出兵，
東吳危矣！

先生說
得好！
我同意
和蜀漢
聯合，
共拒
曹魏！

怎麼
不同？

從此，蜀吳重結
盟好，共拒曹魏！

120

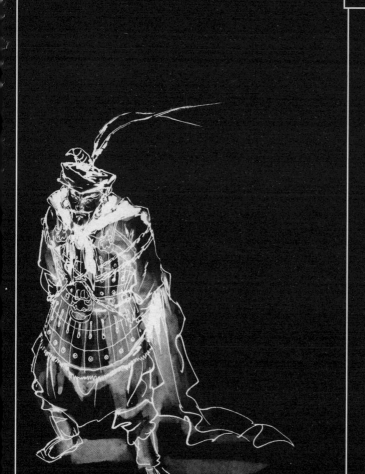

八

七擒孟獲

大策略效應的威力

南蠻王孟獲起兵十萬，侵犯西蜀，孔明親自帶兵五十萬，要平定南蠻，七擒七縱孟獲的事，便是這樣發生的。

不僅僅是一場討伐戰

孔明此舉，曾遭諫議大夫王連的反對。王連認為，要對付孟獲，派一位大將領兵前往討伐便足了。孔明的看法卻不是這樣，他後來的七擒七縱孟獲，也與此有關。

用王連的說法，南方是「不毛之地，瘴疫之鄉」，那一帶還沒有開發，欠缺教化；孔明在那兒，也確是碰上了不少怪異之人和事。當然，那些怪異的人和事，頗有一些是來自《三國演義》的誇張，但總的來說，孔明率領大軍到了南蠻（大概是今天的雲南、越南一帶），在天氣、水土、地理、人情等方面，肯定是困難不少的了——對此，孔明在相當程度上，都是估計在內的，甚至，隨軍所帶的一些特別的物品，都是有所針對的，在後來跟孟獲和他的同伙交鋒的時候，便大派用場。

注重策略效應得大利

孔明是慎重從事的，而且是一個很注重策略效應的

人。例如，東吳的特使張溫入西川，態度傲慢，西川學士秦宓和他比試文才，使張溫無言以對。當時，孔明「恐溫羞愧，故以善言解之」，指「席間問難，皆戲談矣」，給張溫一個下台的台階。劉備新敗於東吳，孔明不折東吳來使的傲氣，那是難以跟東吳建立平等互助互重的關係的，不如此，便難以對付曹丕；可是，張溫下不了台，東吳面子上不好過，亦會壞了大事的。在這一點上，孔明便得掌握分寸，真可以說一句多一分嫌多，少一分嫌少了。

在對付孟獲這事情上，孔明的注重策略效應，便讓我們看得更清楚了。

藝術與大氣魄的表現

七擒七縱孟獲，孔明絕對不是為了炫耀自己的本事，他還注意到，在這末一個過程中，既要挫孟獲的狂狷，又要不使孟獲老羞成怒，而與此同時，他又要達到一個目的，就是使孟獲心服——這還不是孔明的最大目標。

孔明讓我們看到的，絕對是一種藝術。

孔明還讓我們看到了他的大氣魄。

原來，雖然是生長在南蠻之地，這個孟獲還是頗有一點軍事才能，也是頗為懂得一點兵法的。孟獲知道有

「驕兵必敗」這回事；他又懂得使詐；在必要時，他甚至
躲起來不打，讓惡劣的天氣去消耗孔明的軍力，等等。

天時地利人和的轉變

　　孔明曉得孟獲以他的軍事才能和懂得兵法而自得，
便要在這方面把孟獲給大大地比了下去。

　　孔明先是得到了一張「平蠻指掌圖」和繪成此圖的呂
凱的相助，還多次請教當地的土人；孔明又盡可能把矛
頭對準孟獲等極少數，南蠻的多數人，包括孟獲的兵
將，他都善為相待，漸漸地，南蠻的人心所向，便有了
很大的改變，這種改變，便是連孟獲自己也是估計不到
的。

　　孟獲不止一次地為自己的部屬和親人所擒，送往孔
明處。行軍遣將，不能不理會天時、地利與人和，這三
者，本來孟獲是佔盡優勢的，但由於孔明的策略正確，
又努力去達成，結果便有了「戲劇性」的轉變。這戲劇性
的後面，有着必然兩個字。

　　孔明一方面是這樣的對付孟獲，另一方面，他又很
注意對自己所帶將士的調動，千方百計地激勵他們的士
氣，又以嚴格的軍紀使他們在需要的時候有着絕對的服
從性；當然，一次接一次所取得的成績，無疑是對孔明
的極大的支持。

得一個相安無事之局

　　七擒七縱孟獲，最後，孟獲衷心地對孔明表示臣服了。但是，孔明並不是要孟獲俯首稱臣，他要得到的，是一個與南蠻相安無事之局，這是他這次南征的最大目標。

　　對西蜀而言，南蠻是鞭長莫及之地，留一個大將，再加上一大隊兵馬，也未必管得住，發生了甚麼事，要作支援，山長水遠，也是費時失事的。在那一個地方，要管，便意味着會引出一次又一次的對抗來。

　　孔明的做法，是要得到南蠻的心，今後他們不再侵擾西蜀，使他可以集中力量，聯合東吳，對付曹丕。得到南蠻的心，是他的大策略裏的一步。

曹丕得知吳蜀結盟，親率水陸大軍三十萬伐吳，被東吳老將用火攻打得大敗。

曹丕戰敗，正是北伐中原的大好時機。

消息傳到成都。

報！建寧太守雍闓連結蠻王孟獲作亂，牂牁太守朱褒、越嶲太守高定獻城投降……

後方不穩，怎能北伐？我當親自南征，解除北伐的後顧之憂。

126

諸葛亮調動五十萬大軍，用趙雲、魏延爲大將，親自掛帥南征。

三郡很快被平定，大軍繼續南進。

報！諸葛亮平定三郡，大兵壓境！

你們各帶兵五萬，分三路迎敵，勝者作洞主。

孟獲召集三洞元帥金環三結、董荼那、阿會喃。

127

諸葛亮巧計迎敵，金環三結被殺，董茶那和阿會喃被活捉。

三洞元帥領兵向蜀營殺來。

董茶那，阿會喃，我放你倆回去，不要再跟着孟獲作亂！

不殺之恩，容圖後報。

明天孟獲定會親自來戰，你們……

諸葛亮安排活捉孟獲之計。

128

第二天，孟獲果然領兵殺來。

王平領兵迎戰，詐敗而逃。

蜀兵如此無能，追！

關索領兵再戰，也詐敗而逃。

129

王平、關索也回頭殺來。

突然，張嶷、張翼領兵殺出，截斷孟獲退路。

孟獲，你往哪裏逃，趙雲在此！

趙雲衝殺一陣，活捉無數蠻兵蠻將。

四路夾攻，孟獲大敗，帶着部屬逃往錦帶山。

孟獲，你逃不了啦！

孟獲帶着幾十從騎逃進一個山谷，山高路窄，只得棄馬攀爬。

魏延率伏兵殺出，將孟獲活捉。

你們都有父母妻子，回家吧！

蜀軍大勝回營，諸葛亮將俘虜全部釋放。

謝丞相大恩！

山路狹窄，偶然遭擒，怎令我心服？

你今被捉，心服，嗎？

魏延押着孟獲來見諸葛亮。

我放你回去，怎麼樣？

我整頓軍馬，再決雌雄。如再被擒，我才心服。

我要收服他的心，徹底平定南方。

他是蠻王，爲甚麼放他回去？

諸葛亮令人把他放了，並送他一匹馬。

孟獲回到本寨，又整頓了十多萬兵馬，在瀘水南岸築城拒守，並把船筏全拘到南岸，不讓蜀軍渡河。

馬岱，你領三千人馬，到下游沙口紮筏渡河，截斷蠻兵糧道。

是！

諸葛亮進兵到瀘水，沒有船筏渡河，下令部隊在林密處紮營歇息。

馬岱在當地土人指引下，夜渡瀘水沙口。

孟獲沒有防備，馬岱佔領了蠻軍運糧的總山口夾山峪，奪取了蠻兵的糧草。

133

忙牙長，你去夾山峪捉拿馬岱。

孟獲得悉糧草被劫。

忙牙長不是馬岱對手，被馬岱一槍刺死。

丞相饒你性命，你竟忘恩負義！

孟獲又派董荼那去戰馬岱。

董荼那滿面羞慚，不戰而退。

134

看在眾人面上，饒你不死，改打一百大棍。

眾酋長紛紛求情。

你竟敢賣陣報答諸葛亮不殺之恩，我斬了你！

董荼那窩了一肚子火，當晚便和阿會喃等趁孟獲酒醉，綁着孟獲來見諸葛亮。

諸葛亮重賞董荼那和阿會喃等，讓他們各回本寨。

這是我手下叛變，我怎會服你！

你再次被擒，是否心服？

我們再打一仗，如再被擒，一定傾心歸降。

那我再次放你回去，怎麼樣？

猛將如雲，糧草如山，你勝得了我嗎？

諸葛亮故意帶孟獲參觀駐紮在密林中的營寨。

天乾林燥，我只要用火攻，必操勝券！

參觀完畢，諸葛亮又放孟獲回寨。

136

孟獲回到本寨，馬上把董荼那和阿會喃誘來殺了。

弟弟，你帶着金銀珠寶去蜀營詐降，晚上我來劫營，屆時你放火接應。

好！

孟優來到蜀營，諸葛亮收下禮物，設宴「熱情」款待。

孟獲派你們詐降作內應，怎瞞得了我？

宴會還沒結束，孟優和隨從都被藥酒迷倒。

137

孟獲救了孟優，正想回兵，王平、魏延、趙雲分三路殺來。

不好！又中諸葛亮計了！

晚上孟獲率軍劫營

孟獲奪路而逃。

老天幫忙，有船渡河。

孟獲，你看我是誰？

啊！馬岱！

這是我弟弟貪杯，誤飲藥酒所致，我怎麼肯服？

三次被擒，還有甚麼話說？

諸葛亮笑笑，又把孟獲、孟優等放走。

孟獲等渡過瀘水。

啊，我們的營寨已全部被蜀軍佔領。

回銀坑洞，重整軍馬再戰！

怎麼辦？

諸葛亮率領大軍，推進到西洱河畔，孟獲又集合了數十萬蠻兵前來決戰。

諸葛亮先下令將所有蠻洞酋長放回。

丞相不殺之恩，我一定報答！

孟獲仍然不服，諸葛亮再次放了他。

諸葛亮再次用計，將孟獲和所有蠻洞酋長全部活捉。

大王放心，這兒只有死活兩路可通，我派人阻斷活路，留下一條充滿毒瘴邪霧的死路給諸葛亮。……

孟獲和孟優來到朵思大王的禿龍洞暫避。

孟獲天天在禿龍洞和朵思大王飲酒作樂。

諸葛亮跟蹤追擊，果然被毒瘴邪霧所阻。

孟獲正準備迎戰，銀治洞洞主楊鋒和五個兒子帶兵前來相助。

幸得孟獲的哥哥、隱士孟節相助，大軍才順利到達禿龍洞。

孟獲和朵思大王設宴招待楊鋒父子。

楊鋒父子趁孟獲等不備，將他們擒住。

你們為甚麼要害我們？

諸葛丞相如此仁義，你們還要叛亂，家鄉何日安定？

142

諸葛亮重賞了楊鋒父子。

謝丞相厚恩。

銀冶洞主

不是你擒住我的，我仍是不服！

孟獲，這回你心服了嗎？

除非你在我祖居的銀坑洞抓住我……

你要怎樣才心服？

好吧！我再放你一次！

143

木鹿大王能驅使
豺狼虎豹作戰，
雙方初戰，
蜀兵大敗。

孟獲回到銀坑洞，請來
八納洞主木鹿大王助戰。

不必
緊張，
我用
假獸鬥
他的
真獸！

丞相，
那些虎
豹猛獸
太可怕
了！

原來，諸葛亮的彩繪木
刻巨獸，按動機關，能
噴火吐煙，十分駭人。

144

第二次交戰，那些真獸被假獸嚇得往回奔逃，將蠻兵衝倒無數。

衝啊

殺啊

木鹿大王死於亂軍之中。

諸葛亮佔領了孟獲的老巢銀坑洞。

沒有找到他！

孟獲抓到沒有？

哦……

報！孟獲妻弟帶來洞主擒孟獲來獻！

諸葛亮命張嶷、馬忠率數百精兵埋伏兩旁。

讓他們進來！

這種詐降小計，還瞞得了我？這次被擒，難道你還不服嗎？

全部拿下，搜！

果然都暗藏匕首！

好吧！最後再放你一次！

這是我自投羅網，仍然不服！如第七次被你擒住，口服心服，永不再反！

孟獲失了老巢，來到烏戈國向國王兀突骨求助。

兀突骨率三萬藤甲軍來戰蜀軍。藤甲軍刀槍不入，蜀軍大敗。

三萬藤甲軍全被炸死。

兩軍再次交戰，諸葛亮設下計策，把藤甲軍引入埋有火藥的盤蛇谷。

これ... 這次你可心服？

丞相如此仁義，我傾心歸服，子子孫孫，永不再反！

孟獲以爲藤甲軍必勝，帶兵接應，結果又被活擒。

諸葛亮仍敎孟獲作蠻王，管轄原有領地。

南方平定，諸葛亮勝利班師。

漢丞相

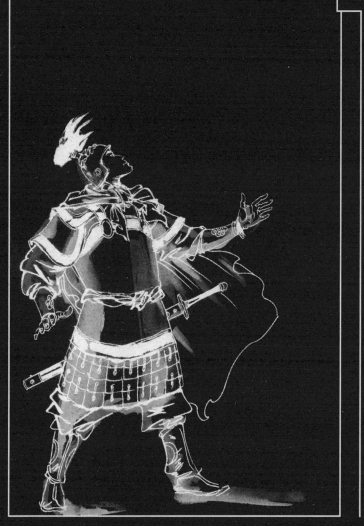

九

智收姜維

計謀原沒有新舊之別

　　孔明智收孟獲，平定南蠻，便進軍北魏，連取二城，到了天水郡，才碰上了阻力。

　　這股阻力，來自姜維。

姜維將計就計戰孔明

　　孔明攻城，都是智取，面對天水郡，也不例外，但姜維卻能看穿了孔明是在用智，而且能夠將計就計，使趙雲敗回。這個時候的趙雲，已是年屆七十，卻依然在沙場上拚搏。

　　姜維守城，自有他的一套，那就是不把自己的軍隊都龜縮在城裏，之前叫趙雲敗退，固然是他的一套策略奏效；趙雲退兵後，姜維對天水郡太守馬遵說道：「趙雲敗去，孔明必自來。彼料我軍必在城中。今可將本部軍馬，分爲四枝：某引一軍伏於城東，如彼兵到則截之。太守與梁虔、尹賞各引一軍城外埋伏。梁緒率百姓在城上守禦。」

虛虛實實全在乎運用

　　姜維的「彼料我軍必在城中」之說，是因爲他之前在對付趙雲時，早安排了兩枝軍馬在城外，一先一後回過頭來，夾擊趙雲，取勝之後，回到城中。

　　姜維要與孔明在智慧和兵法上一較高下，可以說是初生之犢不畏虎——然而這初生之犢所憑的又不僅是一股銳氣，因爲他確實有着一定的本事。兵法人人都可以學，關鍵在於學了之後怎樣運用。例如，「實則虛之，虛則實之」這個用兵之道，難道孔明還會不懂嗎？可是，甚麼時候虛，甚麼時候實，全在乎自己怎樣運用；運用得巧妙，便會產生極大的威力。

孔明的破題兒第一遭

　　孔明親自帶兵來到天水郡城下，看見城上守衞森嚴，更加以爲軍隊都在城中，便暫且按兵不動，豈料到了夜半，「忽然四下火光沖天，喊聲震地，正不知何處兵來。只見城上亦鼓噪訥喊，蜀兵亂竄」，孔明措手不及，差點兒着了道兒①。

　　孔明說：「兵不在多，在人之調遣耳。此人眞將才也！」

　　孔明出道以來，在戰場上如此狼狽，恐怕這還是破題兒第一遭。以往孔明在戰場，總是羽扇綸巾，氣定神閒的，這次卻要「急上馬」，在關興（關雲長之子）和張苞（張飛之子）的保護下，「殺出重圍」，然後才來得及回頭看看那是甚麼一回事。

志在創新和志在實用

碰上了強手，有的人會畏怯起來，有的人則務要除之而後快，有的人卻要收為己用。後者屬於強手中的強手——孔明則是屬於後者。

孔明有這樣的想法，也有這樣的辦法。他要開創一番事業，最重要的是能夠多招攬人才。如何招攬姜維，孔明「思之良久」，終於想到了一個辦法，那就是以姜維的母親來牽制姜維；因為姜維與母並不在一塊，所以孔明便有這個空子可鑽，佯作攻打姜維母親所在的冀城。

最驍勇善戰者也敵不過親情，特別是母子之情，這已經是屢見不鮮的了。孔明用這個辦法，所考慮的，是它的實用性，而不是它的創新性——事實上，它已經沒有創新可言了。另一個沒有創新性的做法，是待姜維引兵救母後，以假姜維攻天水郡，絕了姜維的退路。我們起碼知道，張飛以前也曾用過假張飛以迷惑對手。

天羅地網厚辭得姜維

孔明故意放姜維入冀城，然後圍而攻之。冀城糧草少，孔明又故意引姜維出城來劫糧，這便使姜維陷入了天羅地網。姜維進不是，退不得（馬遵以為姜維造反），加上孔明在這個時候說了一句很重要的話：「吾

自出茅廬以來，遍求賢者，欲傳授平生之學，恨未得其人。今遇伯約，吾願足矣。」姜維，字伯約，他自知道孔明是一個極有本事的人，更剛剛見識過孔明的厲害，既然沒有退路，又得孔明傳授絕學，也便大喜拜謝了。

馬遵失了姜維，自然也守不住天水郡。

舊瓶新酒看組合之道

對孔明來說，得了天水郡，固然是好事，但更重要的，卻是得了姜維。有了人才，又怎用愁沒有地呢？

孔明在收服姜維的過程中，所用的計謀很難說得上有新意，如果切割開來看，我們可以說，那都是不外如是的東西，但孔明勝在組合得好，在適合的時空裏做適合的事，便成為了天羅地網。

要解決問題，往往不在於是否想到了新辦法。其實，各種各樣的辦法已經很多，順手牽來，運用得好，也便可以將事情辦得妥當了。

北伐的時機到了！

不久，魏文帝曹丕病死，其子曹叡繼立的消息傳來。

諸葛亮班師回到成都，積聚力量，準備北伐中原，消滅魏國。

可派人去散佈司馬懿謀反的流言，讓曹叡猜疑，殺掉司馬懿！

好！

魏明帝拜司馬懿爲驃騎大將軍，執掌兵權，恐怕⋯⋯

你有甚麼妙計？

曹叡果眞中計，將司馬懿削職爲民。

154

諸葛亮立即率領三十萬大軍，興師北伐。

曹叡任命夏侯楙爲大都督，調關西諸路軍馬迎戰。

兩軍首戰鳳鳴山，先鋒趙雲力斬西涼大將韓德父子五人，旗開得勝。

第二天，趙雲、張苞、關興三路夾攻，魏軍大敗，夏侯楙只帶身邊一百多人逃入南安郡。

南安壕深城高，蜀軍一連圍攻十天，攻打不下。

此城西連天水郡，北抵安定郡，兩郡太守是誰？

天水太守馬遵，安定太守崔諒。

崔諒受騙，出兵營救。

諸葛亮派人假傳夏侯楙求救文書，騙崔諒和馬遵出兵往救南安。

魏延乘虛而入，襲取了安定。

崔諒半途被蜀軍截住，無路可逃，假意向諸葛亮投降。

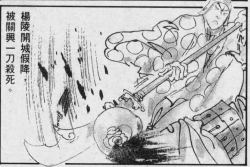

楊陵開城假降，被關興一刀殺死。

崔諒也難逃活命。

諸葛亮識破崔諒假降詭計，設計讓崔諒去招降南安太守楊陵。

蜀軍進城，夏侯楙被活捉。

太守中諸葛亮計了!

馬遵正要起兵,中郎將姜維自外而入

我們可將計就計……擒住諸葛亮!

說得對!我險些誤中奸計!

諸葛亮派人假傳夏侯楙求救文書,要天水太守馬遵出兵相救。

怎麼中計?

南安被諸葛亮圍得水泄不通,怎會有人突圍傳書?這是諸葛亮賺太守出城,乘虛襲取天水之計!

好!

158

馬遵留功曹梁緒守城，自己假裝領兵去救南安。

我是常山趙子龍，你們已經中計，早獻城池，免遭一死！

埋伏在天水附近的趙雲，看到馬遵領兵走了，殺到城下。

你中了姜維之計了！

159

趙雲正要攻城。

天水姜伯約在此。

姜維愈戰愈勇。趙雲大戰姜維，

想不到這裏竟有這般英雄人物。

趙雲知道中計，無心戀戰，突圍敗走。

突然，馬遵領兵殺回。

幸虧諸葛亮另伏張翼、高翔接應，趙雲才安全退回。

丞相，中了敵人的計了！

是誰識破了我的計謀？

我本以為天水唾手可得，不料遇到這般人物！

他叫姜維，字伯約，天水冀縣人，十分孝順母親，文武雙全，是個英雄。

姜維確實武藝高強，槍法與眾不同。

諸葛亮親率大軍，直抵天水城下安營。

半夜，姜維將天水之兵分四路劫營。

衝啊

殺啊

蜀兵遭到突然襲擊，紛紛潰逃。

諸葛亮在關興、張苞保護下殺出重圍。

兵不在多，全憑調度得當，姜維眞是將才！

直到天明，諸葛亮才收攏敗兵，重紮營寨。

姜維智勇雙全，我要用計收伏他，讓他能繼承我的事業。

諸葛亮打聽到姜維母親在冀縣，派魏延率軍詐攻冀縣。

如姜維到，放他入城。

是！

我老母在冀城，請同意我率軍去守冀城。

好的！給你三千人馬。

諸葛亮又派趙雲率軍去攻上邽，繼絕天水糧道。

馬遵又派梁虔率三千人馬去守上邽。

姜維率兵來到冀城，魏延擺開陣勢迎戰。

戰了幾個回合，魏延詐敗退走。

姜維入城，拜見老母。

姜維下令緊閉城門，堅守不戰。

姜維派人來說，只要駙馬在，願意歸降。現在我饒你性命，你肯去招降他嗎？

只要饒我性命，願效犬馬之勞！

諸葛亮令人把夏侯楙押來。

諸葛亮便讓夏侯楙獨自去冀城招降姜維。

我們是冀縣百姓，姜維獻了城，蜀軍放火劫財，只得逃難到天水去！

你們從哪裏來，為何如此慌張？

夏侯楙不識路徑，正彷徨間，幾個百姓迎面奔來。

165

夏侯楙撥馬奔天水而去。

天水太守是誰？

馬太守馬遵。

姜維已獻城投降……

真沒想到……

夏侯楙來到天水，馬遵把他迎入府中。

想必姜維為了救都督，故意詐降！

梁緒和姜維很有交情，為姜維辯護。

不可能！我還沒到冀城，他已獻城，怎麼會是詐降？

當夜，諸葛亮又派人假扮姜維來攻天水城，火光中夏侯楙和馬遵難辨真假，以為姜維真已降蜀。

諸葛亮卻領兵來攻冀城。

蜀軍見了姜維，把糧車扔下就跑。

冀城缺糧，諸葛亮故意用糧車引誘姜維出城劫糧。

姜維奪了糧草剛要回返，張翼殺出，攔住去路。

姜維抵擋不住，奪路回城。

兩人戰了幾個回合，王平又領兵殺來。

姜維，我已取冀城多時了。

168

張苞
在此
！

姜維殺開血路，
奔向天水。

奔到天水城下，
姜維只剩單槍匹馬。

你想賺
開城門？
放箭！

我是
姜維，
快開
城門！

姜維又奔向上邽。

反國之賊，竟敢來賺我上邽！放箭！

唉！

姜維仰天長嘆，撥馬欲往長安去。

姜維休走，關興在此！

伯約此時不降，更待何時？

姜維勒馬回頭。

姜維無路可走，只得下馬歸降。

我出茅廬以來，一直想找個能繼承我事業的人，傳授我平生所學，今天遇到你，我的願望可以實現了。

承蒙看重，願受丞相教誨。

蜀軍進入天水，夏侯楙和馬遵逃出西城。

在姜維規勸下，其好友梁緒、尹賞開城投降。

我放走夏侯楙，如同放走一隻鴨子；得到姜維，簡直是得到一隻鳳凰。

丞相為甚麼不去擒拿夏侯楙？

梁緒又到上邽喚弟弟梁虔歸降了諸葛亮。

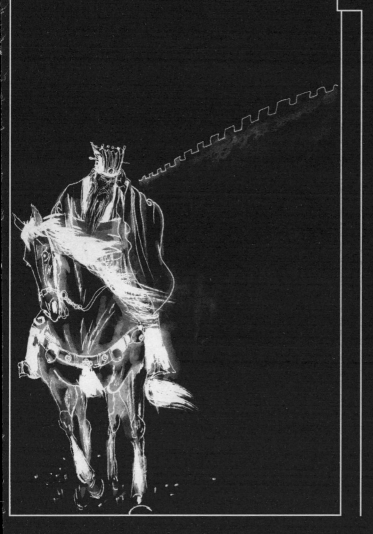

十

空城計

孔明仍然沒有行險着

　　孔明進軍北魏，連戰皆捷，逼得曹丕之子曹叡（曹丕已病故，由曹叡接位）復用司馬懿（孔明用計，使曹丕棄用司馬懿，孔明由此得以去掉心腹之患）。

▌孔明和司馬懿爭街亭

　　司馬懿復出之後，正式與孔明交手的第一仗，便是街亭之一場爭奪戰。

　　孔明和司馬懿都同時看到，街亭雖然是一個小地方（甚至可以說，街亭只是一條路），但是，如果孔明守得住街亭，則可以長驅直進；反之，倘若司馬懿得了街亭，孔明便不得不退兵——司馬懿更可以乘勢追擊，大勝可期。

　　對於怎樣守街亭，孔明斟酌良久。參軍馬謖自動請纓，但孔明除了要馬謖立下了軍令狀之外，還加多了幾筆「伏筆」：令上將王平助馬謖，命高翔守街亭東北之列柳城、魏延守街亭之右，那才心安。

▌兵法琅琅上口而失利

　　劉備臨終時，曾指馬謖「言過其實，不可大用」，在街亭一役，我們確實看到了馬謖此人雖然是讀過了兵書，像「憑高視下，勢如破竹」、「置之死地而後生」等兵

法均琅琅上口，卻不能結合實際情況而靈活運用，又聽不進意見，結果失了街亭。

孔明得知失了街亭，便立即安排退兵回西蜀。

孔明把其他人都安排好了之後，便自己帶領五千兵馬到西城——蜀兵屯放糧草之所——搬運糧草，當這五千兵的一半已搬了糧草，離開西城的時候，司馬懿已帶着十五萬兵馬，浩浩蕩蕩的殺來了！

一對十五萬和一對一

孔明身邊只餘二千五百士兵，並無將領，面對司馬懿的大軍，孔明索性下令，除了少數士兵扮作平民在各個城門打掃外，其餘的多數士兵都躲起來，孔明自己則在城樓上焚香彈琴。

孔明所用的，是「空城計」。既然二千五百士兵沒有作用，孔明便乾脆一個士兵都不亮出來。他知道，自己所面對的不是那十五萬大軍，而是司馬懿一人——如果這樣看，就不是一對十五萬，而是一對一了，這末一來，在數字上，便成了均勢。

司馬懿生怕不及退兵

與此同時，孔明又曉得司馬懿是深知他是「一生唯

謹慎」、不會走險着的（孔明這次進軍長安不走險着，便是眼前一例），於是，孔明便擺下了這個「空城計」——這一着，貌似險着，其實卻是十分安全的。

孔明仍然是不走險着。

果然，司馬懿看到了，心裏大疑，更隨即令退兵。他的退兵，是退得很急的：他自己到了中軍，然後「教後軍作前軍，前軍作後軍」，這就「望北山路而退」。司馬懿顯然是怕自己退得不及時，便會中計。在退路上，關興所領的三千士兵和張苞所領的三千士兵先後對司馬懿進行伏擊，但都按照孔明所囑，只是虛張聲勢。司馬懿不知道蜀兵有多少，還以為自己及時退兵是正確的決策。

孔明就這樣順利地回到西蜀。

無聲無勢的一種聲勢

司馬懿退兵的時候，他的次子司馬昭說：「莫非諸葛亮無軍，故作此態？父親何故便退兵？」

相信不僅是司馬昭，一般人見到了那個空城，恐怕都會是這樣想的——這是最直接的一個反應。對這樣的一個反應，孔明自然是估計在內的，只是他確認了，自己對付的，是司馬懿一個人，所以便對其他人，包括那十五萬大軍都置諸腦後。

　　孔明這「空城計」也教我們看到了，虛張聲勢除了我們常見的一種之外，起碼還有另一種，那就是像孔明這樣的伴着一座空城，也是一種聲勢，這是無聲勝有聲，無勢勝有勢。

破壞我們可貴的直覺

　　從某個角度看，我們可以說，司馬懿是反而不及一個稚子的。有的時候，經驗和知識，是會反過來束縛着我們的，破壞我們可貴的直覺，除非我們能夠又有所精進，更上一層樓，才會得以擺脫；可是，同一道理，我們不能就這樣停下來。

　　另一方面，甚麼叫做兵行險着，我們也看得更加分明了，有的險着，原來只是表面看上去的險，實質是安全得很的呢！

魏明帝曹叡拜曹眞爲大都督，率兵二十萬，前去迎敵。

報！夏侯楙連失南安、安定、天水三城，諸葛亮率兵出了祁山，已進兵到渭水南岸。

曹眞不是諸葛亮對手，被蜀軍打得大敗。

曹眞退守郿城，派人向曹叡求救。

178

司馬懿用計把有意謀反的原蜀降將孟達殺了。

曹叡重新啟用司馬懿，拜他為平西都督，率兵禦敵。

都督，我們往哪裏進兵？

街亭是通往漢中的咽喉，截斷諸葛亮的糧道，逼他退兵……

司馬懿命張郃為先鋒，領兵出關。

司馬懿出關，一定會搶佔戰略要地街亭，誰願去守衛街亭？

街亭雖小，關係整個戰局的勝負……

！我去

若街亭失守，請斬我全家！

好吧！我把重任托付給你，你要千萬小心。

你辦事謹慎，到了街亭，畫一幅佈防圖給我。

諸葛亮又任命大將王平作馬謖的副將。

諸葛亮還不放心，吩咐高翔駐兵列柳城，魏延駐兵街亭後面，接應街亭。

180

若魏兵四面包圍，切斷水源，兵馬將不戰自亂！

不！應該在山上立寨，據險而守！

在五路要道口立寨，魏軍就無法偷渡。

馬謖和王平率領二萬五千兵馬，來到街亭佈防。

馬謖不聽勸告，王平只得帶領五千人馬，離山十里下寨。

兵法上說：置之死地而後生。魏軍切斷水源，軍士就會拚死作戰……

王平連夜將紮營情況畫成地圖，派人送給諸葛亮。

司馬昭探路回來。

街亭
有兵
把守。

司馬昭，你去探路，看看街亭可有蜀兵防守。

兩天後，司馬懿率大軍逼近街亭。

父親，蜀兵屯兵山上，街亭很容易攻取！

好！真是天助我也。蜀軍守將是誰？

諸葛亮真是神人，我比不上他！

參軍馬謖。他駐在山上，另有王平離山十里安營。

諸葛亮重用這書呆子，他失策了！

張郃，你率軍去截殺王平，不讓他增援馬謖！

司馬懿率大軍到達街亭，四面圍山。

下山迎戰！

蜀軍將士見魏軍勢強，不敢下山。

馬謖大怒，連殺兩名不肯下山的將領。

違抗軍令者，斬！

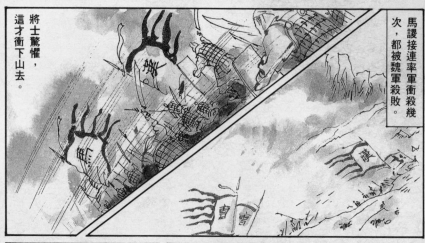

馬謖接連率軍衝殺幾次，都被魏軍殺敗。

將士驚懼，這才衝下山去。

張郃在此！

王平率軍救援。

王平殺不過張郃，只得退去。

馬謖無法，只得退回山上，緊守待援。

全面切斷
山上水源！

山上無水，
蜀兵大亂。

渴死
啦！
渴死啦
……

半夜，不少蜀軍
下山投降。

放火
燒山！

馬謖眼看守不住，
帶着殘兵下山
突圍而逃。

衝啊

殺啊

司馬懿和張郃
率軍追殺。

雙方激戰一場，
蜀軍眼見收復
街亭無望，
只好退兵。

司馬懿又乘虛襲
取了列柳城。

魏延、高翔
率兵前來接應，
王平也領兵殺到。

兵
進
斜
谷，
逕
取
西
城！

186

這是王將軍讓送來的佈圖防圖。

諸葛亮派馬謖去守街亭後，天天掛念着街亭的形勢。

丞相爲甚麼失驚？

馬謖在山上紮寨，街亭必失無疑，街亭一失，我軍就沒退路了。

唉！大事完了！這是我的過錯！

馬謖無知，坑陷我軍了！

諸葛亮正和長史楊儀商量補救之法。

報！街亭、列柳城失守！

張翼，你帶兵去修理劍閣，準備退路。

是！

諸葛亮立即部署退兵。

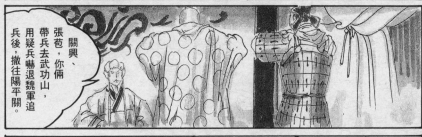

關興、張苞，你倆帶兵去武功山，用疑兵去嚇退魏軍追兵後，撤往陽平關。

馬岱、姜維，你倆帶兵斷後。

你等三人分別去傳告天水、南安、安定三郡官吏軍民，退入漢中。

是！

諸葛亮帶領五千士兵，撤往西城。

你去冀縣將姜維母親送入漢中。

諸葛亮留一半軍士守城，另一半人馬，連夜將屯在西城的糧草撤運走。

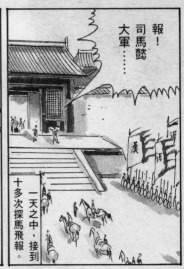

報！司馬懿大軍……

一天之中，接到十多次探馬飛報。

報！司馬懿率十五萬大軍，直往西城逼來！

諸葛亮身邊無一員大將，眾文官驚慌失措。

大家不要驚慌，我自有退敵之計。

漢

190

傳令，不准掛旗，不准敲鼓，不准妄自行走，不准大聲說話，達令者斬！

諸葛亮下令大開四門，每門用二十名老軍扮作百姓，灑掃街道。

城西

諸葛亮披上鶴氅，戴起綸巾，兩個小童侍立兩旁，坐在城門樓上，焚香彈琴。

魏軍先頭部隊到達西城。

咦！諸葛亮在搞甚麼鬼名堂？

南城城門大開，無一兵一將，只有諸葛亮獨坐城樓彈琴。

會有這樣的事？

琴聲錚錚，悠揚動聽。

司馬懿親自來到西城察看。

諸葛亮神態安閒，琴聲不亂，我不能上當。

192

後軍作前軍，前軍改作後軍，撤！

諸葛亮一生謹慎，從不弄險。他一定在城內埋伏重兵，誘我上當。快撤！

會不會諸葛亮沒有軍馬，故作此態？父親爲甚麼要馬上退兵？

於是，兩路軍馬都向武功山方向退去。

司馬懿是魏國名將，為甚麼到了城下又火速退走？

好險！

諸葛亮見魏兵遠去，拍手而笑。

我們只有二千五百士兵，如棄城而逃，那必然被魏兵追上俘虜！

若是我們肯定棄城而逃！

他以為我不會冒險，懷疑我城中設下埋伏。他卻不知道，迫不得已，我是才擺這空城計！

於是，諸葛亮令西城百姓，都隨蜀軍撤往漢中。

這時，曹真得知諸葛亮撤兵，也率兵追擊，結果被斷後的馬岱、姜維殺得大敗。

魏兵退到武功山遇到關興、張苞的疑兵。

果然諸葛亮在用計，快撤回街亭！

於是，司馬懿班師回朝。

等蜀軍全部撤回漢中，司馬懿重到西城，才知道了實情。

我實在不如諸葛亮啊！

先帝臨時時曾囑咐我「馬謖言過其實，不可大用」，今日果應此言。我恨自己沒聽先帝的話，終於犯了大錯！

丞相為甚麼這樣傷心？

諸葛亮回到漢中，流着眼淚，將失守街亭的馬謖斬首

諸葛亮接受處分後，在漢中積極整頓軍馬，積聚力量，再待機北伐。

劉禪下詔將諸葛亮降職為右將軍，但仍負責丞相事務

諸葛亮派蔣琬上表，向劉禪自請降職三級。